P9-ECB-090

COLLECTION CUISINE CONVIVIALE

Délicieuses recettes de smoothies

Recettes et photos : Sylvie Aït-Ali
http://amusesbouche.canalblog.com

60, rue Vitruve, 75020 Paris

Imprimé en France par POLLINA - 85400 Luçon - L50224

sommaire

Smoothie tomate, basilic et chèvre

Préparation : 15 minutes • Cuisson : 1 minute • Difficulté : ★ Budget : ★

Pour 2 personnes

- **5 tomates**
- **1 petit bouquet de basilic**
- **60 g de fromage de chèvre frais**
- **1 yaourt grecque**
- **50 ml de coulis de tomates**
- **Sel et poivre**
- **Du paprika**
- **2 glaçons**

Plongez les tomates 1 minute dans de l'eau bouillante, puis épluchez-les et épépinez-les. Placez la chair des tomates dans le blender, ajoutez le coulis, le yaourt, le fromage, les feuilles de basilic et les glaçons.

Salez, poivrez et mixez le tout, jusqu'à l'obtention d'un mélange homogène et servez aussitôt, saupoudré d'une pincée de paprika.

Smoothie abricot et lait d'amande

Préparation : 5 minutes • Difficulté : ★ Budget : ★★

Pour 2 personnes

- **200 g d'abricots dénoyautés (4 ou 5)**
- **200 ml de lait d'amande (en magasin bio)**
- **2 cuil. à café de miel**

Placez les fruits dans un blender, puis ajoutez le lait d'amande frais et le miel.

Mixez le tout jusqu'à l'obtention d'un mélange homogène.

Ajustez à votre goût en ajoutant, si besoin, du miel car les abricots peuvent être très acides selon leur maturation. Servez aussitôt.

Conseil : pour une boisson rafraîchissante, vous pouvez ajouter 2 glaçons dans le blender.

Smoothie aux agrumes

Préparation : 20 minutes • Difficulté : ★ Budget : ★

Pour 2 personnes

- **1 pamplemousse rose**
- **1 orange**
- **2 clémentines**
- **2 boules de sorbet de citron**

Épluchez le pamplemousse ainsi que l'orange à vif, et retirez toutes les petites peaux blanches. Ôtez les pépins.

Placez la pulpe des fruits dans le blender avec le jus des clémentines puis ajoutez le sorbet.

Mixez le tout jusqu'à l'obtention d'un mélange homogène et servez.

Smoothie ananas, avocat et citron vert

Préparation : 5 minutes • Difficulté : ★ Budget : ★★

Pour 2 personnes

- **4 tranches d'ananas**
- **½ avocat**
- **150 ml de jus d'ananas**
- **1 citron vert**

Placez l'ananas coupé en dés, la chair de l'avocat, le jus d'ananas et le jus de citron dans un blender.

Mixez le tout jusqu'à l'obtention d'un mélange homogène.

Servez aussitôt.

Conseil : pour une boisson plus fraîche, ajoutez 2 glaçons dans le blender.

Smoothie banane et fraise

Préparation : 5 minutes • Difficulté : ★ Budget : ★

Pour 2 personnes

- **1 banane**
- **1 yaourt aromatisé à la banane**
- **100 g de fraises**
- **150 ml de lait**

Placez la banane coupée en rondelles et les fraises dans le blender. Ajoutez le yaourt et le lait.

Mixez le tout jusqu'à l'obtention d'un mélange homogène et servez aussitôt.

Smoothie betterave et pomme

Préparation : 10 minutes • Difficulté : ★ Budget : ★

Pour 2 personnes

- **100 g de betterave cuite**
- **200 ml de jus de pomme**
- **2 pommes granny smith**
- **1 cuil. à soupe de miel**
- **2 glaçons**

Coupez la betterave en dés ainsi que les pommes. Placez les fruits dans le blender, puis ajoutez le jus de pomme, le miel et les glaçons.

Mixez le tout jusqu'à l'obtention d'un mélange homogène et servez aussitôt.

Smoothie carotte et orange

Préparation : 10 minutes • Difficulté : ★ Budget : ★

Pour 2 personnes

- **2 carottes**
- **3 oranges**
- **1 pomme**

Épluchez les carottes. Coupez-les en petits dés et mixez-les assez longtemps dans le blender. Pressez le jus des oranges et récupérez la pulpe, puis ajoutez-les ainsi que la pomme aux carottes mixées.

Mixez le tout jusqu'à l'obtention d'un mélange homogène et servez.

Smoothie coco et chocolat

Préparation : 5 minutes • Difficulté : ★ Budget : ★★

Pour 2 personnes

- **2 bananes**
- **200 ml de lait de coco**
- **150 g de yaourt nature**
- **2 cuil. à soupe de chocolat en poudre**
- **2 glaçons**

Coupez les bananes en rondelles, placez-les dans le blender avec le lait de coco, le yaourt, le chocolat et les glaçons.

Mixez le tout jusqu'à l'obtention d'un mélange homogène et onctueux, servez aussitôt.

Smoothie cranberries, raisin et pomme

Préparation : 5 minutes • Difficulté : ★ Budget : ★

Pour 2 personnes

- **300 ml de jus de cranberries**
- **100 g de raisins noirs**
- **2 pommes**
- **1 yaourt nature**

Placez le raisin et les pommes dans le blender, puis ajoutez le jus de cranberries et le yaourt.

Mixez le tout jusqu'à l'obtention d'un mélange homogène et servez aussitôt.

Conseil : vous pouvez ajouter un peu de sucre, selon votre goût, si vous trouvez ce smoothie trop acide.

Smoothie des îles

Préparation : 5 minutes • Difficulté : ★ Budget : ★★

Pour 2 personnes

- **1 mangue**
- **2 tranches d'ananas**
- **150 ml de lait de coco**
- **100 ml de lait**
- **3 glaçons**

Épluchez la mangue, coupez-la en dés et placez-la dans le blender. Ajoutez l'ananas, le lait de coco, le lait et les glaçons.

Mixez le tout jusqu'à l'obtention d'un mélange homogène et servez aussitôt.

Smoothie fraise

Préparation : 5 minutes • Difficulté : ★ Budget : ★

Pour 2 personnes

- **300 g de fraises**
- **1 boule de sorbet à la fraise**
- **150 ml de crème anglaise**

Placez les fraises équeutées, le sorbet et la crème anglaise dans un blender. Mixez le tout jusqu'à l'obtention d'un mélange homogène.

Servez aussitôt.

Smoothie fraise et basilic

Préparation : 10 minutes • Difficulté : ★ Budget : ★

Pour 2 personnes

- **300 g de fraises**
- **1 yaourt nature**
- **5 grandes feuilles de basilic**
- **1 cuil. à soupe de sucre (facultatif)**
- **3 ou 4 glaçons**

Placez les fraises équeutées, le yaourt, les feuilles de basilic et les glaçons dans un blender. Ajoutez une cuil. à soupe de sucre à la préparation. Mixez le tout jusqu'à l'obtention d'un mélange homogène.

Servez aussitôt.

Conseil : ajoutez plus ou moins de sucre, selon votre goût.

Smoothie fraise et rhubarbe

Préparation : 10 minutes • Cuisson : 10 minutes • Repos : 1 heure • Difficulté : ★ Budget : ★

Pour 2 personnes

- **300 g de fraises**
- **200 g de rhubarbe**
- **2 cuil. à soupe de sucre**
- **2 glaçons**

Épluchez et coupez la rhubarbe en tronçons, saupoudrez-la de sucre et laissez reposer 1 heure. Placez ensuite la rhubarbe et le jus rendu dans une casserole. Faites cuire 10 minutes, puis laissez refroidir.

Placez la rhubarbe, les fraises équeutées et les glaçons dans un blender, mixez le tout jusqu'à l'obtention d'un mélange homogène.

Servez aussitôt.

Conseil : vous pouvez ajouter plus ou moins de sucre, si vous souhaitez que votre smoothie soit plus doux.

Smoothie fruits des bois et violette

Préparation : 5 minutes • Difficulté : ★ Budget : ★★

Pour 2 personnes

- **200 g de fruits des bois surgelés**
- **100 ml de jus de fruits rouges**
- **1 yaourt nature**
- **2 cuil. à soupe de sirop de violette**

Placez les fruits toujours surgelés dans le blender. Ajoutez le jus de fruits rouges, le yaourt et le sirop de violette.

Mixez le tout jusqu'à l'obtention d'un mélange homogène et servez aussitôt.

Conseil : si vous utilisez des fruits frais, ajoutez 2 ou 3 glaçons dans le blender.

Smoothie grenade et coco

Préparation : 15 minutes • Difficulté : ★ Budget : ★★

Pour 2 personnes

- **1 grenade**
- **10 framboises**
- **200 ml de lait de coco**
- **1 yaourt nature**
- **3 glaçons**

Épluchez la grenade et récupérez toutes les graines.

Placez-les dans le blender avec les framboises, le lait de coco, le yaourt et les glaçons, puis mixez le tout jusqu'à l'obtention d'un mélange homogène.

Servez aussitôt.

Smoothie griottes, poire et lait d'amande

Préparation : 15 minutes • Difficulté : ★ Budget : ★★

Pour 2 personnes

- **400 de griottes**
- **1 poire**
- **100 ml de lait d'amande (en magasin bio)**

Dénoyautez les griottes, puis épluchez et épépinez la poire. Placez les fruits dans le blender avec le lait d'amande.

Mixez le tout jusqu'à l'obtention d'un mélange homogène et servez aussitôt.

Conseil : vous pouvez ajouter un peu de sucre, selon votre goût.

Smoothie kiwi, avocat et gingembre

Préparation : 5 minutes • Difficulté : ★ Budget : ★★

Pour 2 personnes

- **4 kiwis**
- **½ avocat**
- **150 ml de jus d'orange**
- **2 pincées de gingembre en poudre**
- **3 glaçons**

Épluchez les kiwis et placez-les dans le blender. Ajoutez la chair de l'avocat, le jus d'orange, les glaçons et le gingembre.

Mixez le tout jusqu'à l'obtention d'un mélange homogène et servez aussitôt.

oothie kiwi, pomme et ananas

ion : 10 minutes • Difficulté : ★ Budget : ★

Pour 2 personnes

- **3 kiwis**
- **300 ml de jus d'ananas**
- **1 pomme granny smith**

Prélevez la chair des kiwis et épluchez la pomme.

Placez les fruits dans le blender et ajoutez le jus d'ananas bien frais. Mixez le tout jusqu'à l'obtention d'un mélange homogène, versez dans 2 verres et servez aussitôt.

Smoothie litchi et framboise

Préparation : 5 minutes • Difficulté : ★ Budget : ★★

Pour 2 personnes

- **300 g de framboises surgelées**
- **150 g de litchis dénoyautés**
- **1 yaourt nature**
- **2 cuil. à soupe d'eau de rose**

Placez les fruits dans le blender avec le yaourt et l'eau de rose.

Mixez le tout jusqu'à l'obtention d'un mélange homogène et servez aussitôt.

Conseil : vous pouvez ajouter un peu de sucre, selon votre goût.

Smoothie mangue et banane

Préparation : 10 minutes • Difficulté : ★ Budget : ★★

Pour 2 personnes

- **1 mangue**
- **1 banane**
- **1 yaourt nature**
- **150 ml de jus d'orange**
- **2 glaçons**

Épluchez la mangue, coupez-la en dés et placez-la dans le blender. Ajoutez la banane, le yaourt, le jus d'orange et les glaçons.

Mixez le tout jusqu'à l'obtention d'un mélange homogène et servez aussitôt.

Smoothie melon, abricot et groseille

Préparation : 5 minutes • Difficulté : ★ Budget : ★★

Pour 2 personnes

- **½ melon**
- **5 abricots**
- **100 g de groseilles**
- **1 cuil. à soupe de sucre**
- **3 glaçons**

Prélevez la chair du melon bien frais, placez-la dans le blender avec les abricots, les groseilles, le sucre et les glaçons.

Mixez le tout jusqu'à l'obtention d'un mélange homogène et servez aussitôt.

Smoothie mûre

Préparation : 5 minutes • Difficulté : ★ Budget : ★

Pour 2 personnes

- **200 g de mûres**
- **300 ml de lait de soja à la vanille**
- **3 glaçons**

Placez les mûres dans un blender avec le lait de soja et les glaçons.

Mixez le tout jusqu'à l'obtention d'un mélange homogène et servez aussitôt.

Conseil : si vous utilisez des fruits surgelés, ne les décongelez pas avant de les mixer et supprimez les glaçons.

Smoothie myrtille

Préparation : 5 minutes • Difficulté : ★ Budget : ★★

Pour 2 personnes

- **200 g de myrtilles surgelées**
- **1 petite banane**
- **1 yaourt à la vanille**
- **100 ml de jus de fruits rouges**

Placez les myrtilles toujours surgelées dans le blender.

Ajoutez le jus de fruits rouges, le yaourt et la banane coupée en rondelles.

Mixez le tout jusqu'à l'obtention d'un mélange homogène et servez aussitôt.

Conseil : si vous utilisez des frais, ajoutez 2 glaçons dans le blender.

Smoothie myrtille et pomme

Préparation : 5 minutes • Difficulté : ★ Budget : ★★

Pour 2 personnes

- **300 g de myrtilles**
- **100 g de framboises surgelées**
- **1 pomme**
- **150 ml de jus de pomme**
- **2 glaçons**

Placez les fruits dans le blender, puis ajoutez le jus de pomme et les glaçons.

Mixez le tout jusqu'à l'obtention d'un mélange homogène et servez aussitôt.

Smoothie orange, potiron et pomme

Préparation : 10 minutes • Cuisson : 10 minutes • Difficulté : ★★ Budget : ★

Pour 2 personnes

- **200 g de potiron**
- **3 oranges**
- **1 pomme**
- **2 cuil. à café de miel**

Épluchez le potiron. Coupez-le en dés et mettez-le à cuire dans une casserole d'eau pendant 10 minutes. Lorsque le potiron est cuit, égouttez-le et laissez-le refroidir.

Pressez le jus des oranges, récupérez la pulpe et placez-la au frais.

Pelez, épépinez et coupez la pomme en morceaux.

Placez les morceaux de potiron, le jus des oranges avec la pulpe ainsi que la pomme dans un blender, puis ajoutez le miel.

Mixez le tout jusqu'à l'obtention d'un mélange homogène, ajustez à votre goût en ajoutant du miel si besoin et servez aussitôt.

Smoothie pêche et thé à la bergamote

Préparation : 10 minutes • Difficulté : ★ Budget : ★

Pour 2 personnes

- **4 pêches bien mûres**
- **1 sachet de thé à la bergamote**
- **2 cuil. à café de miel**

Portez 300 ml d'eau à ébullition et laissez infuser le thé à la bergamote pendant 5 minutes. Ajoutez le miel, puis laissez refroidir et réservez au frais.

Placez les pêches épluchées dans un blender, ajoutez le thé et mixez le tout jusqu'à l'obtention d'un mélange homogène.

Ajustez à votre goût en ajoutant du miel si besoin et servez aussitôt.

Smoothie poire, figue et raisin

Préparation : 10 minutes • Difficulté : ★ • Budget : ★★

Pour 2 personnes

- **3 poires**
- **5 figues**
- **10 grains de raisin**
- **2 glaçons**

Épluchez et coupez les poires en morceaux.

Retirez les pédoncules des figues.

Placez les fruits dans le blender et ajoutez les glaçons. Mixez le tout jusqu'à l'obtention d'un mélange homogène et servez aussitôt.

Conseil : si vous souhaitez déguster un smoothie moins épais, ajoutez 100 ml de jus de raisin ou de poire.

Smoothie pomme, banane et quatre-épices

Préparation : 10 minutes • Difficulté : ★ Budget : ★

Pour 2 personnes

- **2 pommes**
- **1 banane**
- **1 yaourt nature**
- **100 ml de jus de pomme**
- **½ cuil. à café de quatre-épices**
- **2 glaçons**

Placez les pommes coupées en morceaux dans le blender, la banane, le jus de pomme, le yaourt, le quatre-épices et les glaçons.

Mixez le tout jusqu'à l'obtention d'un mélange homogène et servez aussitôt.

Smoothie pomme et noisette

Préparation : 10 minutes • Difficulté : ★ Budget : ★

Pour 2 personnes

- **2 pommes**
- **200 ml de lait de soja**
- **100 ml de jus de pomme**
- **50 g de noisettes**
- **1 cuil. à soupe de sirop d'érable**
- **2 glaçons**

Placez les noisettes dans le blender et réduisez-les en poudre.

Ajoutez les pommes coupées en morceaux, le lait de soja, le jus de pomme, le sirop d'érable et les glaçons.

Mixez le tout jusqu'à l'obtention d'un mélange homogène et servez aussitôt, saupoudré d'un peu de poudre de noisette.

Conseil : vous pouvez remplacer le lait de soja par du lait de noisette.

Duo de smoothies

Préparation : 15 minutes • Difficulté : ★ Budget : ★★

Pour 2 personnes

Smoothie rose
- **100 g de fruits des bois surgelés**
- **150 ml de yaourt**
- **1 cuil. à café de miel**

Smoothie jaune
- **1 banane**
- **½ citron**
- **150 ml de lait de soja**

Réalisez le smoothie rose en plaçant tous les ingrédients dans le blender et mixez le tout jusqu'à l'obtention d'un mélange homogène et assez épais. Versez la préparation dans 2 verres, placez au frais.

Réalisez le smoothie jaune en plaçant les ingrédients dans le blender nettoyé et mixez le tout jusqu'à l'obtention d'un mélange homogène et plus liquide que le premier. Versez-le délicatement sur le premier smoothie et servez aussitôt.

Conseil : il faut toujours commencer par un smoothie épais puis un plus liquide pour que les 2 préparations ne se mélangent pas, libre à vous de choisir si vous mélangez le tout ou pas.

REMERCIEMENTS

Un grand merci à maman pour m'avoir initiée à la pâtisserie pendant mon enfance et m'avoir laissée occuper sa cuisine pour mes premiers essais. Merci à Val qui a été mon commis des premières heures, à Nath et Phil mes premiers critiques culinaires. Merci à Maia et compagnie, à Saïd, à la famille et les amis, qui forment mon fan club depuis toujours.
Merci à Luminarc qui me fournit gracieusement en vaisselle www.luminarc.fr
Sylvie Aït-Ali

PRÉSENTATION DE L'AUTEUR

Sylvie Aït-Ali est infirmière à Lille. Passionnée de cuisine et de photographie, elle s'est lancée dans l'aventure des blogs culinaires avec la création d'Amuses bouche (http://amusesbouche.canalblog.com). Elle partage ainsi sa passion en invitant les internautes à essayer ses recettes. Sur son blog ou par courrier électronique, elle répond aux questions et donne des conseils culinaires avisés.